Le but en or de Sidney Crosby

MIKE LEONETTI

Illustrations de
GARY MCLAUGHLIN

Texte français de
Marie-Carole Daigle

Éditions
SCHOLASTIC

REMERCIEMENTS ET SOURCES
Un merci tout particulier à la famille Gremont qui a partagé son expérience des Jeux olympiques d'hiver 2010 de Vancouver.

L'auteur a consulté les ressources suivantes :

Les livres des auteurs suivants : Gare Joyce, Bob McKenzie et Shawna Richer;
Les magazines : *Breakout, ESPN The Magazine*, *Maclean's*, *Sports Illustrated* et *The Hockey News*;
Le guide de statistiques *NHL Official Guide & Record Book*;
Les journaux : *The Toronto Star* et *The Globe and Mail.*

Les sites Internet : NHL.com et Wikipedia.
Les vidéos : Match extérieur entre Buffalo et Pittsburgh le 1er janvier 2008 et match de la médaille d'or entre le Canada et les États-Unis aux Jeux olympiques d'hiver 2010.

Catalogage avant publication de Bibiothèque et Archives Canada

Leonetti, Mike, 1958-
[Crosby's golden goal. Français]
Le but en or de Sidney Crosby / Mike Leonetti ; illustrations de Gary McLaughlin ; traduction de Marie-Carole Daigle.

Traduction de: Crosby's golden goal.
ISBN 978-1-4431-1912-2

I. McLaughlin, Gary II. Daigle, Marie-Carole III. Titre.
IV. Titre: Crosby's golden goal. Français.

PS8573.E58734C7614 2012 jC813'.54 C2012-901680-2

Édition publiée par les Éditions Scholastic, 604, rue King Ouest,
Toronto (Ontario) M5V 1E1 CANADA.

6 5 4 3 2 1 Imprimé à Singapour 46 12 13 14 15 16

À tous les jeunes qui jouent au hockey, ce magnifique sport, par plaisir et par amour!
— M.L.

À la mémoire de mon père Robert Martin McLaughlin et de tous les papas dévoués qui ont appris à leurs enfants « l'art » du jeu.
— G.M.

CANA

« Vol 181 à destination de Vancouver… Embarquement immédiat », a annoncé la voix dans le haut-parleur de l'aéroport.

— Viens, Xavier, c'est notre vol, a dit mon père en m'entraînant vers la porte d'embarquement.

Les Jeux olympiques d'hiver 2010 avaient lieu à Vancouver, et j'étais fou de joie d'y aller. Papa avait des billets pour plusieurs matchs de hockey dont la ronde des médailles et le match de la médaille d'or. J'espérais bien assister à une victoire d'Équipe Canada. J'avais aussi incroyablement hâte de voir mon joueur préféré, Sidney Crosby, arborer la feuille d'érable rouge sur son chandail.

Le vol était plutôt long, mais j'avais un magazine de hockey à lire. Crosby était en couverture sous le titre « L'heure de gloire de Crosby ». Je me suis mis à penser à l'année qui venait de passer, la première année où je ne jouais plus au hockey.

Je faisais partie d'une équipe AAA et je jouais plutôt bien, mais à un moment donné, j'avais eu l'impression que je consacrais absolument tout mon temps au hockey… Entre les matchs et les pratiques, les séances de patinage intensif et de conditionnement physique, les camps d'été et les petites visites à la patinoire du quartier, on aurait dit qu'il n'y avait que le hockey dans ma vie!

J'aurais parfois aimé faire d'autres sports, sortir avec mes amis ou m'amuser avec des jeux vidéo. À cause du hockey, j'avais dû renoncer à d'innombrables activités.

Après le dernier match de la saison, j'ai pris ma décision. Mais je savais que ça allait être difficile de l'annoncer à mon père…

— Papa, tu m'as toujours dit que si je jouais au hockey, je le faisais par choix, n'est-ce pas? Eh bien, j'ai décidé de ne pas jouer l'an prochain, lui ai-je déclaré.

— Quoi? a répondu mon père. Mais pourquoi donc, Xavier? Tu es tellement bon!

— Ça ne me tente plus, ai-je répondu.

— Pourtant, tu as adoré ça dès la première fois où tu t'es retrouvé sur la glace avec un bâton! En plus, si tu changes d'avis un jour, tu auras peut-être du mal à rattraper les autres.

— Peut-être... Mais j'aimerais quand même faire autre chose pendant quelque temps, ai-je répliqué.

— D'accord, Xavier, a dit mon père en soupirant. Comme tu veux…

Mes camarades n'arrivaient pas à croire que j'abandonnais le hockey. Mathieu, mon ailier et meilleur ami, a essayé, lui aussi, de me faire changer d'idée.

— Tu ne diras plus la même chose en septembre quand la saison va commencer! m'a-t-il dit.

Mais je ne suis pas revenu sur ma décision.

Mathieu continuait de venir chez moi de temps en temps pour regarder un match à la télé. Il m'arrivait encore d'aller à la patinoire avec mon père pour faire quelques échanges de rondelles. Et je jouais parfois dans notre entrée de garage. Mais c'est à peu près à cela que se limitait ma pratique du hockey.

D'ailleurs, je constatais que j'aimais bien passer plus de temps avec ma famille, y compris avec ma petite sœur Jade!

Juste avant l'atterrissage à Vancouver, j'ai feuilleté encore quelques pages de mon magazine. Le pays au grand complet allait suivre les matchs dans l'espoir que le Canada décroche l'or. Notre équipe était bourrée d'étoiles montantes comme Jonathan Toews, Corey Perry et Drew Doughty. Elle comptait aussi des joueurs qui avaient fait leurs preuves, comme Scott Niedermayer, Joe Thornton et Jarome Iginla, et les gardiens de but Martin Brodeur et Roberto Luongo.

Mais la grande vedette de l'équipe était sans contredit Sidney Crosby. Tout le monde aurait les yeux braqués sur lui.

12
A
C
27
CANADA
A

J'adorais le jeu de Crosby. Il suivait constamment la rondelle et se déplaçait avec agilité pour la frapper ou la passer prestement à un coéquipier. Ce n'était pas le joueur le plus imposant de la Ligue nationale de hockey, mais il avait très bon cœur et il travaillait fort pour devenir le meilleur joueur de la LNH.

Je me rappelle l'avoir regardé jouer alors qu'il venait d'arriver à la LNH, l'année où j'ai commencé à vraiment suivre le hockey. Durant sa première saison, il était parvenu à inscrire 102 points, alors qu'il n'avait que 18 ans. C'est d'ailleurs pour cela qu'on le surnommait en anglais « Sid the Kid », ce qui signifie « Sid le p'tit jeune ». L'année suivante, il avait accumulé 120 points – soit plus de points que tout autre joueur de la ligue. À la fin de sa quatrième année, il était devenu capitaine des Penguins et avait mené l'équipe à la victoire de la Coupe Stanley. Quand il marquait un but, tous les spectateurs du stade bondissaient de leur siège.

87

L'un des moments marquants de ma vie est le jour où j'ai assisté à la première Classique hivernale à Buffalo. Malgré la neige, plus de 70 000 personnes s'étaient massées dans les gradins en plein air.

La partie s'est soldée par un tir de barrage de Crosby vers Ryan Miller, le gardien des Sabres. Miller a tenté un arrêt du bâton, mais Sid est parvenu à marquer le but gagnant en envoyant la rondelle entre ses jambières. Un magnifique sourire a alors illuminé le visage de Crosby : c'était clair qu'il adorait jouer au hockey!

10
87

Cependant, les Jeux olympiques ont été encore plus captivants. Équipe Canada a battu la Norvège 8-0. Puis Crosby a marqué le point gagnant durant les tirs de barrage contre la Suisse. Ensuite l'équipe américaine, Team USA, a battu le Canada 5-3. Pour parvenir au match de la médaille d'or contre les États-Unis, l'équipe canadienne devait riposter en gagnant les trois matchs suivants. Ce qu'elle a fait!

Nous avions des places à la première rangée du balcon supérieur. Parmi les spectateurs, nous avons vu Gordie Howe et même le premier ministre! Partout, les gens agitaient des petits drapeaux canadiens.

Équipe Canada a compté les deux premiers buts, marqués par Toews et Perry. Mais l'équipe américaine tenait bon. Elle avait, elle aussi, de bons joueurs, comme Zach Parisé, Patrick Kane, Phil Kessel et, bien sûr, Ryan Miller comme gardien. À l'approche de la troisième période, le pointage était de 2-1 pour le Canada. Il y avait de l'action!

Une vingtaine de secondes avant la fin, Parisé a réussi à contourner Luongo et a égalisé la marque! Je n'en revenais pas. Il fallait une prolongation : quatre contre quatre durant 20 minutes, puis tirs de barrage si l'égalité se maintenait.

USA
18
9

Équipe Canada a joué avec beaucoup d'ardeur tout au long de la prolongation, mais Miller a réussi à repousser tous les tirs. Moi, je me souvenais que Crosby avait eu le dessus sur Miller à Buffalo. Je me disais qu'il pourrait très bien le faire à nouveau! Justement, après environ sept minutes de prolongation, Crosby s'est élancé avec Iginla. Il a reçu une passe de Niedermayer, puis a essayé de remonter avec la rondelle, mais les défenseurs l'en ont empêché. La rondelle a poursuivi sa course en longeant la bande. Crosby s'en est emparé et l'a fait voler vers Iginla. Il s'est ensuite précipité vers le filet de l'équipe adverse en criant : « Iggy, Iggy! » Ce dernier lui a fait une passe et la rondelle est arrivée en plein sur son bâton.

Alors Crosby a effectué un tir puissant. Miller a tenté d'arrêter la rondelle, mais elle s'est faufilée entre ses jambières. Crosby venait de marquer le but de la médaille d'or!

87

J'ai bondi dans les bras de mon père.
Tout le monde se tapait dans les mains.
Les joueurs ont sauté par-dessus la bande pour se ruer sur Crosby qui avait lancé son équipement dans les airs et avait le sourire jusqu'aux oreilles. Lorsqu'on lui a remis sa médaille d'or et qu'il a ensuite fait un tour de patinoire en brandissant un grand drapeau canadien, une formidable clameur a retenti.
Ce moment restera à tout jamais gravé dans ma mémoire.

J'ai essayé, en vain, de dormir dans l'avion qui nous ramenait à la maison. Le match avait été si captivant que toutes les raisons pour lesquelles j'adorais le hockey m'étaient revenues à l'esprit. En plus, quand j'ai vu Crosby marquer son but et ensuite faire la fête avec ses équipiers, j'ai réalisé à quel point mon équipe me manquait.

— C'était quelque chose, hein, Xavier? m'a dit mon père.

— Incroyable! Ça n'aurait pas pu être mieux... sauf si un jour c'était moi qui marquais un aussi beau but.

— Il faudrait peut-être que tu te remettes à jouer si tu veux que ça arrive, a dit mon père d'un air entendu.

Je lui ai répondu par un petit sourire.

De retour à la maison, je suis allé voir M. Parent, l'entraîneur des Panthères. Quand je lui ai demandé si je pouvais me présenter aux essais d'avril, il m'a répondu que c'était un engagement sérieux.

— Montre-moi que la passion est revenue, Xavier, m'a-t-il dit en me regardant droit dans les yeux.

— Je vais être là à 100 %, monsieur. Je m'ennuie de la compétition!

Mon père et ma mère étaient heureux de ma décision.

— Cette fois, nous ne nous laisserons pas envahir par le hockey, a dit maman. Nous allons tenter d'équilibrer un peu mieux nos activités.

— L'important, ce sera d'améliorer ton jeu à chaque partie, et surtout d'y prendre plaisir, a ajouté papa.

Voilà qui faisait parfaitement mon affaire!

Je me suis préparé très sérieusement en vue des essais. Mathieu et quelques copains m'ont aidé aussi. J'étais vraiment à l'aise et solide sur mes patins. J'ai été sélectionné. De plus, je me suis retrouvé à jouer sur la même ligne que Mathieu.

Nous avons véritablement retrouvé notre complicité d'autrefois lors de notre premier tournoi. Nous avons remporté trois matchs sur quatre, et j'ai marqué trois buts. Notre équipe est parvenue aux finales. Vers la fin du match, nous étions à égalité avec l'adversaire. J'ai alors fait une longue passe à Mathieu.

Il a frappé sec vers le filet. Le gardien a arrêté son tir, mais il n'a pu empêcher la rondelle de rebondir dans ma direction. J'ai riposté immédiatement par un tir au but. Mes coéquipiers se sont rués sur moi : j'avais marqué le but gagnant!

Comme j'étais heureux de jouer au hockey de nouveau! Je pensais souvent à Crosby et à son amour du jeu. Dans ma chambre, il y avait encore sur un mur une affiche de lui, tenant son chandail de l'époque où il était dans les ligues mineures. On pouvait lire, en grosses lettres : « Mon premier but, c'est d'avoir du plaisir. » Je regardais cette photo chaque jour. Elle me rappelait à quel point Sidney Crosby aimait jouer et comment cela m'avait convaincu de revenir au hockey.

ISE
LTD
8

QUELQUES MOTS SUR SIDNEY CROSBY

Sidney Crosby est né le 7 août 1987 à Cole Harbour, en Nouvelle-Écosse où il a commencé à jouer dans la ligue de hockey junior mineur. Il a rapidement démontré qu'il allait être un grand joueur. On le surnommait « Sid the Kid », ce qui signifie « Sid le p'tit jeune ». À la saison 2003-2004, il est passé au hockey junior majeur en se joignant à l'Océanic de Rimouski, membre de la Ligue de hockey junior majeur du Québec (LHJMQ). Au cours de sa dernière saison dans cette équipe, il a marqué 66 buts et obtenu 168 points, ce qui en a fait le joueur le plus convoité du monde du hockey. Les Penguins de Pittsburgh l'ont sélectionné comme premier choix au repêchage en 2005, et il est immédiatement devenu la supervedette que tous s'attendaient à voir. Il a marqué 39 buts à sa première saison, qu'il a terminée en affichant 102 points. La saison suivante, ses 120 points lui ont permis de décrocher le trophée Art Ross. En 2006-2007, il a gagné le trophée Hart décerné au joueur le plus utile à son équipe. On l'a nommé capitaine des Penguins en 2007, et l'équipe a gagné la coupe Stanley l'année suivante, à la saison 2008-2009.

À la saison 2010-2011, Crosby a obtenu 66 points en 41 matchs, mais une commotion cérébrale l'a empêché de participer à l'autre moitié de la saison. Il est revenu au jeu le 21 novembre 2011 et le soir même, il a marqué deux buts et réussi deux aides durant un match qui s'est soldé par la victoire de Pittsburgh 5 à 0. Après ce match fabuleux, il a déclaré : « Ce qui comptait vraiment, c'était de retrouver le plaisir de jouer. Ça me manquait depuis 10 mois. » Il a subi une nouvelle blessure, mais a pu participer à 22 matchs pendant la saison régulière 2011-2012, inscrivant ainsi 37 points à son dossier. Il en a cumulé huit autres au cours de six parties éliminatoires subséquentes. Crosby est devenu la figure marquante de la Ligue nationale de hockey.

ÉQUIPE CANADA ET LE HOCKEY INTERNATIONAL

Le but de Sidney Crosby aux Jeux olympiques d'hiver 2010 n'est pas le seul but spectaculaire de l'histoire d'Équipe Canada. En 1972, Équipe Canada a participé à une série de huit matchs contre l'Union soviétique (URSS), appelée la « Série du siècle ». Paul Henderson a alors inscrit le but gagnant des Canadiens à 34 secondes de la fin du dernier match. Ce but reste encore aujourd'hui le plus sensationnel qu'un joueur canadien ait jamais marqué durant un match de hockey international.

Lors du premier tournoi de la Coupe Canada en 1976, Darryl Sittler a compté en prolongation le but gagnant d'Équipe Canada contre la Tchécoslovaquie. Onze années plus tard, sur une passe de Wayne Gretzky, Mario Lemieux a offert au Canada une victoire de 6 à 5 lors du troisième et dernier match de la Coupe Canada 1987 opposant le Canada et la Russie.